統計データで読み解く
日本の真実・世界の真実

日本村100人の仲間たち
The HOPE

童話作家
吉田 浩 著
松野 実 画

辰巳出版

人ごみの多い場所に行くときには、
ジャイアントパンダ
１頭分の距離を空けましょう。

世界約１００カ国で活動する
環境保護団体ＷＷＦは、
新型コロナウイルスの感染を防止するために、
「人と人との距離を2メートル空けて」
と呼びかけました。

友だちに近づいては
いけないって、
さみしいですよね。

でも、ソーシャルディスタンス（社会的距離）
なんて難しい言葉を使わなくても、
「パンダディスタンス」と言えば、
距離を取るのも、
なんだか楽しくなります。

だって、あなたの前には、
ジャイアントパンダが
本当に「いる！」んですから。

よーく、目をこらして見てください。

ほかにも、あなたの前にはたくさんの
動物たちが並んでいますよ。

コブハクチョウ１羽
キングペンギン２羽
オサガメ１匹

コロナカゼは、世界中に吹き荒れ、
ぐちゃぐちゃに引っかき回しましたが、

私たちに、見えないものを
見る力を与えてくれました。

その力こそが、
あなたを幸せにするかもしれません。

第1章

とても平和な日本村に
黒い影が襲ってきた！

１９９８年、
世界村の人口は59億人でした。
２０１９年、
世界村の人口は77億人を超えました。

たった20年で、世界村は、
密閉・密集・密接の
3密になってしまったのです。

●世界村は３密

太り過ぎて
ダイエットジムに
車で行く村人と、

やせ細って
今日の食べものがない村人が
同じ村にいっしょに住んでいます。

日本村の人たちは、狭い島の中に
ぎゅうぎゅう詰めで住んでいます。

この島がどんなに狭いかというと、
世界村の面積を100とすると、

日本村の面積は、
たった0・3です。

●満員電車の中でおしくらまんじゅう

さらに、村は森林が7割をしめています。

スープ皿の中の
スプーン1杯の土地に
1億人以上の村人たちが
住んでいるのです。

お隣の中国村は、世界のあちこちに
引っ越していますが、日本村の人たちは
村を出ようとはまったく考えていません。

日本村は、水が豊かで、田んぼがきれいな、
とてものどかな村なのですが、
しょっちゅう災害にみまわれています。

地震や、津波や、噴火や、
集中豪雨や、洪水や、
異常気象や、原発事故が
あちこちで起こりました。

ありとあらゆる災害が、
空の上から、地の底から、
襲ってくるのです。

●晴れときどき地震

ニュースでも、

「今日の天気は、
晴れときどき地震」

と注意を呼びかけることがあります。

どんな災難がやってきても、
村人たちは助け合ってきました。

さて、この平和な村に
大きな災難が降りかかってきました。
巨大地震や大噴火や戦争など、
100年に一度やってくる、
だれにも予測できない大惨事のことを
「Xデー」といいます。

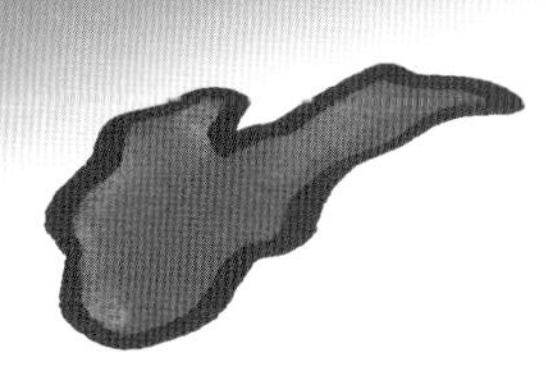

この危機を、世界に
何百万人もいる科学者たちは、
誰も予測できませんでした。

また、世界に何千万人もいる
占い師たちも、だれ一人、
言い当てることはできませんでした。

ところが、多くの占い師たちは、
「私は予言していた」
と後からいい出しました。

●チューイ報

きっかけは、中国村で一人の男の人が
カゼをひいたことです。

すると、そのカゼが２人にうつり、
４人にうつり、８人にうつり、
ほかの村にも広まっていったのです。

どんどん数が増えていく算数を、
ねずみ算といいます。

正月に父親ねずみと母親ねずみが
子どもを 12 匹生んだら、
１年後の数はどうなるでしょうか？

答えは、

276億8257万4402匹です。

チューゴク村は、チューイが
足りなかったようです。

世界で、感染者が１００万人から２００万人に
増えるまで２週間もかかりませんでした。

アメリカ村のミルグラム教授が
知り合いに手紙を送って、
どこまで届くかを実験しました。

その結果、
友だちの友だちが、
たった6人いれば、
世界の果てまで
手紙が届くことがわかりました。

●スモールワールド実験

さて、この「手紙」を
「カゼのウイルス」と
置き換えてみましょう。

たった6回、
だれかがだれかにうつしていけば、
地球の裏側に住んでいる人まで
感染してしまうのです。

カゼのウイルスは手紙のように
ポストに入れる必要はありません。
話すだけで相手に届いてしまうのです。

バタフライ・エフェクトって、知っていますか？

ある場所で蝶が羽ばたくと、

地球の反対側で竜巻が起こるという現象です。

「北京で蝶が羽ばたくとニューヨークで嵐が起こる」

といわれていましたが、

「武漢（ぶかん）でコウモリが羽ばたくと、

マンハッタンの人通りが消えた」のです。

●「バット・エフェクト」

これでは、
バタフライ・エフェクトではなく、
バット・エフェクトですね。

コウモリの黒いつばさが世界を
おおい隠してしまったのです。

日本村の人たちは世界一心配症です。

なぜなら、「心配遺伝子」を持っているからです。

日本村の住民たちは100人中80人が心配遺伝子を持っています。

欧米村の住民たちは100人中45人

南アフリカ村の住民たちは100人中27人しか持っていません。

●心配村

日本村では、
だれかが穴に落ちると
大あわてで助けます。

南アフリカ村では、
だれかが穴に落ちると
大笑いされます。

心配遺伝子があるとないとでは、
こんなに違うのです。

さあ、日本村は
どうなるの
でしょうか？

第2章

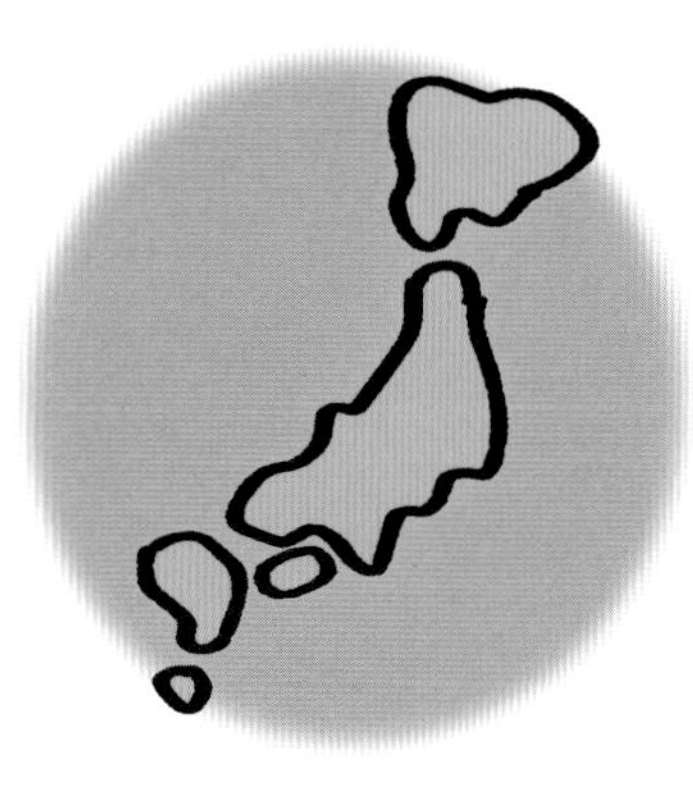

自粛の嵐が吹き荒れて てんやわんやの日本村

多くの村人を楽しませてくれた
お笑いスターの志村けんさん（70才）が
亡くなりました。

「だっふんだ」のギャグは、
クシャミとセキを
あらわしているそうです。

カゼをうつさないように、今、
クシャミとセキは人前で禁止されています。

けんさんの一番のお笑いギャグが、
封印されているのは皮肉な話ですね。

●けんさん、さようなら

笑いは、私たちに
生きる力を与えてくれます。
免疫力もアップし、
カゼに負けないようになります。

志村けんさんは天国から、

「みんな、だいじょうぶだー！」

と叫んでいます。

サザエさん一家が、
「今度の連休はどこへ行こうか？」
と相談しました。

すると、テレビを見ていた
村人たちはいいました。

「みんな家の中にいるのに、
サザエさんだけ
遊びに行くのはズルい！」

村人たちはアニメが大好きで、
現実との区別がつかない人たちもいます。

世界一のスナイパー「ゴルゴ13」も
マンガの連載がお休みになりました。

命を狙われていた人は、
ちょっと「ホッ」としています。

そういえば、ゴルゴ13は50年前から、
「おれのうしろに立つな」
と、ソーシャルディスタンスを
気にしていますね。

●コロナはクルナ

「南の島は安全だ」
と、多くの人たちが
沖縄に押し寄せました。

しかし、観光客は
お金も運んできますが、
ウイルスも運んできます。

戦争で村人が９万４０００人も
亡くなった沖縄には、

「命（ぬち）どぅ宝（たから）」

（命が一番大事な宝だよ）

という言葉があります。

島の宝である「おじい、おばあ」を
守ろうという運動が始まりました。
沖縄の小学校では
こんな看板が掲げられました。
なんて読めるかな？

五＋六＋七＝一八

答えは、コロナはイヤ。

GW（ゴールデンウイーク）を
GW（ご臨終ウイーク）に
しないように！

パパは会社に行かず
「**テレワーク**」。
ぼくは学校に行かずに
「**テレビワーク**」。
ママはいらないものを捨てる
「**断捨離ワーク**」。

パパがずっとうちにいるので、
ママはイライラして
ケンカがたえません。

粗大ゴミといっしょに、パパを捨てる
「**コロナ離婚**」が流行っています。

●パパはテレワーク、ぼくはテレビワーク

100人中15人の子どもたちが、「パパとママの仲が悪くなった」と思っています。

100人中38人の子どもたちが、「家族といる時間が増えて、イヤ」と思っています。

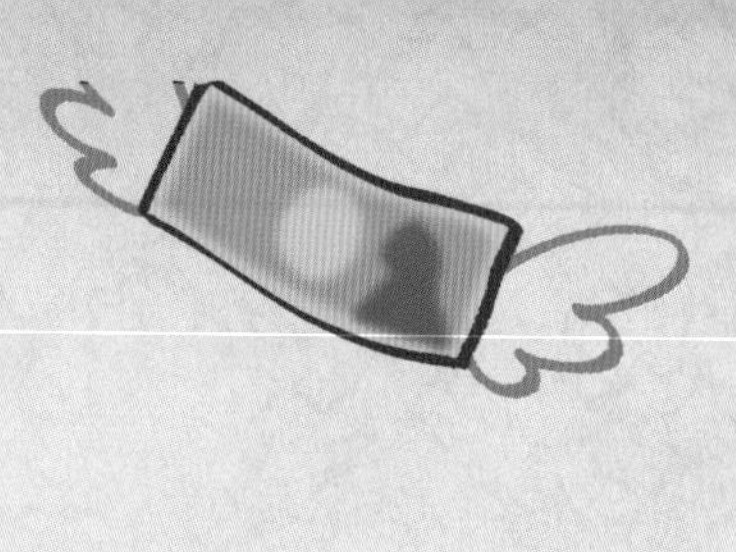

会社の残業がなくなり、
パパの給料が減りました。

すると、おこづかいも月々4000円減りました。

今まで3万8000円もらっていたのに
これからは3万4000円です。

ところが、ママのおこづかいは、
1万8000円から、
1万9000円になりました。

あれっ、なんで増えてるの？

パパはやりくり。
ママはへそくり。

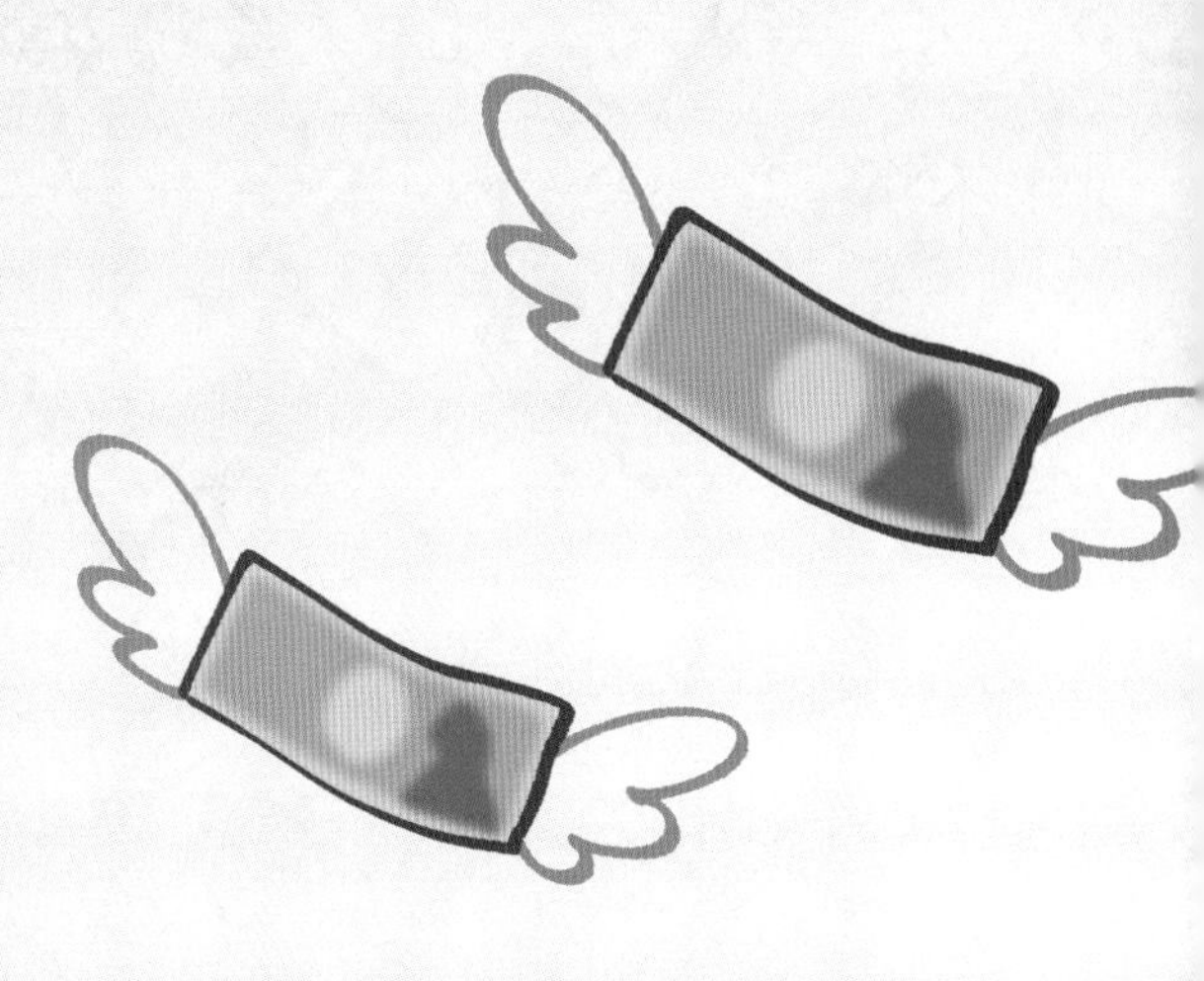

「娘一人に婿8人」

これは、ひとつしかないものを

多くの人が欲しがるということわざです。

「学生一人に企業10社」

これは、大学を卒業する学生一人が

企業から内定をもらった数です。

「ぜひ、私と結婚してください」

と、10人の美男子から熱愛されていたのに……。

「ごめんね、もう別れてください」

と、婚約を取り消されてしまったのです。

多くの学生たちは、

「就職祝賀期」から

「就職氷河期」に

なってしまいました。

●昔「内定辞退」今「内定取消」

内定

銀座のクラブが
いっせいに休業しました。
すると……。

酒屋さん、お花屋さん、
果物屋さん、氷屋さん、
おしぼり屋さんも注文が
来なくなりました。

美容師さん、メイクさん、
ネイリストさん、
着付けをする人も仕事が
なくなってしまいました。

カゼが吹くとねずみが桶(おけ)をかじって、
桶屋(おけや)が儲かるのですが、
コロナカゼが吹くと巨大ねずみが
夜の銀座で運動会をします。

早く「招き猫」に
ねずみ退治を
してもらいたいですね。

●危機感ゼロ

村人のなかには、「**カゼなんてこわくない**」

と思っている人が１００人中25人もいます。

「**自分は大丈夫**」と思っている人の
３人に１人は「今後も対策はしない」そうです。

若者のなかには居酒屋で、

「アルコールで体のなかを消毒しているから平気」

と、いう人もいます。

不安ではなく、根拠のない「自信」を持っているのです。


『**ニュースゼロ**』は若者向けの報道番組ですが、

「**危機感ゼロ**」の若者たちもたくさんいます。

村長のアベさんが、
一軒につき2枚ずつマスクを配りました。
村人の100人中76人が、
「こんなマスクは使わないよ」といいました。
ちょうど、
4月1日のエイプリルフールの日に
マスクを配ったので、
こんなことをいわれました。
「村人の悲鳴をシャットアウトするために
マスクを配ったに違いない」

●エイプリル・アベノマスク

「コロナ禍」という字を読めますか？

これは、「コロナか」と読みます。

「コロナ災」と書かないのはわけがあります。

「災（わざわい）」は
防ぎようがない天災のことで、
「禍（わざわい）」は
人々の努力によって防ぐことができます。

だから、コロナカゼは
みんなの力を合わせれば
防ぐことができるのです。

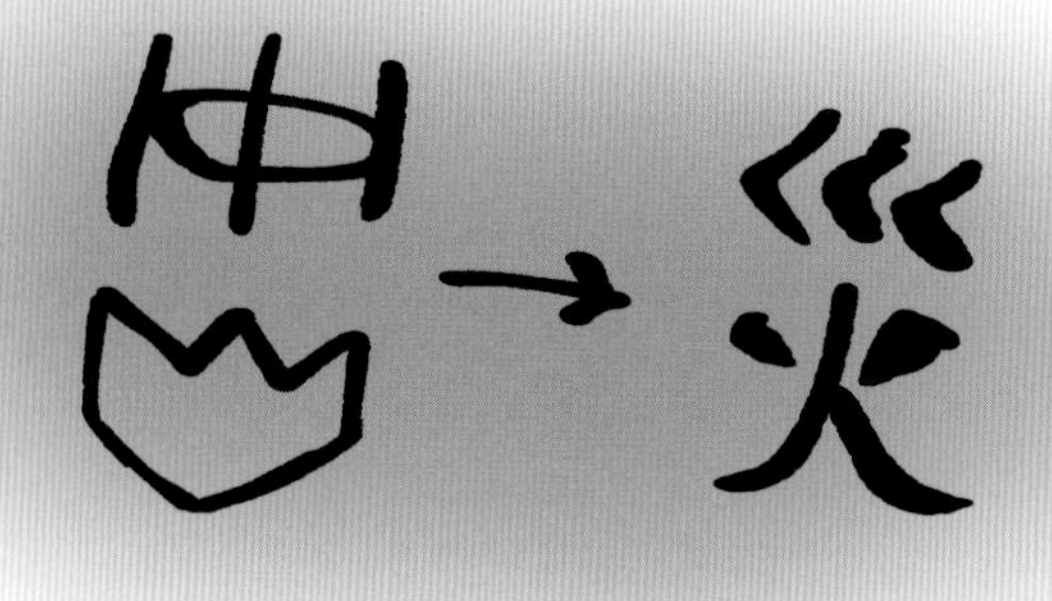

●災と禍

第3章

死んでも外に出てはいけません しっちゃかめっちゃかの世界村

香港村のあるホテルでは、
掃除のおばさんが同じゾウキンを使って、
たくさんの部屋を掃除しました。

このホテルには、
いろいろな村の人たちが泊まっていたので、
世界中にカゼのウイルスがバラまかれました。

これが、**パンデミック**です。
パンデミックの語源は、
ギリシャ語の Pandemos（パンデモス）。
パンは「すべての」、デモスは「人々」。

つまり、「すべての人にうつる」
という意味です。

●パンドラの箱

ZZZ…

●もしもしカメよ

世界の村々では、
「カゼがうつるから、外に出てはいけません」
と、厳しい法律を作りました。

もし、違反したら大変です。
シンガポール村は罰金**2万円**。
フランス村は罰金**45万円**。
台湾村は、ケタ違いの**360万円！**
インド村は、
なんと7年間も刑務所暮らしです。

イタリア村でカメを散歩させていた
60歳のおばさんは、罰金400ユーロ
（約4万7000円）を払いました。

どの村にも外出制限を無視する村人がいます。

こんな人たちは、covidiot
（コーヴィディオット）と呼ばれています。

covid（コロナウイルス）+ idiot（おろか者）で
コロナバカという意味です。

パチンコに行く人、
買いだめに走る人、
家の中でじっとしていられない人は
みんな covidiot です。

釣りバカ、鉄道バカ、ゴルフバカと、
バカにもいろいろありますが、
コロナバカにつける薬はありません。

ブラジル村のボルソナロ村長はいいました。

「へなちょこカゼめ、どうってことないぞ。外に出よう。みんながカゼに感染すると免疫力がつく」

東ヨーロッパ村のルカシェンコ村長は、

「ウイルスなんていない。飛んでるのなんて目に見えないぞ」

フィリピン村のドゥテルテ村長は、

「外出するやつは撃ち殺すぞ」

北朝鮮村のキム村長は、

「うちの村では一人もカゼをひいていないぞ」

これは、データを抹殺しているからかもしれません。

Stay Home.（ステイホーム）といわれて、
アメリカ村のおじいさんは、
じっと家の中にこもっていました。

しかし、朝起きたら、
家が高速道路の上に
乗っていました。

大きな竜巻が、いきなり40個もやってきて、
家を吹き飛ばしてしまったのです。

アメリカ村では「ふんだりけったり」のことを
Rub salt in the wound.
（傷口に塩を塗る）といいます。

しかし、おじいさんは
「なんとかなるさ。明日は明日の風が吹く」
と全然へこたれていません。

●2つの風でダブルパンチ

●マッチポンプ

コロナカゼは中国村が世界中に広めました。

ところが、世界中から、
「マスクを売ってほしい」
という依頼が殺到しました。

一番得したのは中国村です。

中国村がカゼを広め、
マスクを売って儲かったので、

「放火犯と消防士を同じ国がやっている」
と世界中からたたかれました。

世界では、**マスクドロボウ**が
あちこちに出ました。

中国村で作って
フランス村に運ぶ途中のマスクを
アメリカ村が奪ってしまったのです。
フランス村の人々は怒りました。

「これは、まるでハイジャックだ」

●やられたらやり返せ！

フランス村は
「やられたらやり返そう」
と思いました。

イタリア村、スペイン村に
運ぶ途中のマスク400万枚を
差し押さえたのです。

まさに、「倍返し」したのですが、
全然、関係ない村は大迷惑です。

新聞には「不信感も感染」という
見出しがつきました。

愛し合っている恋人たちにとって、
どんなに遠く離れていても
距離は関係ありません。

ところが、ケンカをすると、
相手の顔も見たくなくなります。

世界の距離はインターネットでなくなりました。
しかし、コロナカゼがその距離を隔てたのです。

恋人たちは、再び、
仲直りできるのでしょうか？

第4章

妖怪もドラえもんも応援
みんなでガンバレ日本村

5歳の女の子がコロナカゼに困っている
ママを助けようと思い、手紙を残し、
冒険の旅に出かけました。

ままへ　♥　あたし　でていくよ。
だって　ころなのくすりを
ガンバって　さがしに　いきます。

●ころなのくすり

女の子は数分で帰って来ました。
「はい、見つけたわよ、ふふふ」
薬は、おえかき帳に描かれた絵で、
小さなガラスビンの中に
空色の薬が入っていました。

女の子が見つけたのは、
ママを元気にする
「希望」という薬でした。

中学1年生の女の子が
薬屋さんに行ったとき、
マスクを買えずに困っている
おばあさんを見かけました。

「かわいそう」と思った女の子は、
今までずっと貯めてきた
お年玉8万円を使って、
600枚のマスクを作ったのです。

そして、1枚1枚に手紙をそえて、
地元に寄付しました。

●マスクに変わったお年玉

もし、お金の使い方に、
良い悪いがあるとしたら、

困っている人のために使うお金は
「生きているお金」。

タンスの奥にため込んでいるお金は
「死んでいるお金」です。

あなたのお金はどっち？

●みんなタイガーマスク

村のあちこちにタイガーマスクと名乗る人が現れ、

「タイガーマスクがマスクを寄付した」

とニュースになりました。

108億円もの大金を寄付してくれた

タイガーマスクもいます。

ホテルを5000室も貸してくれた

タイガーマスクもいます。

大きな船に1万人分のベッドを

用意してくれたタイガーマスクもいます。

だれでも、
いつでも、
どこにいても、
タイガーマスクに
なれるのです。

●早口言葉で応援

テレビ局のアナウンサーたちが早口言葉で
自宅にいる人たちにエールを送ってくれました。

「密集阻止！　密接阻止！　密閉阻止！」

「学校　急遽　休校　家で自習　集中力　長州力」

「きつい時期　傷つきつつも　危機　突き破る　絆あり」

「会うより　今　愛あるのは　会わないで言う　愛してる」

あなたは何秒でいえますか？

一緒にならず、一緒にやりましょう。

田舎で活躍する
ご当地ヒーローたちが
一発ギャグリレーで
応援してくれました。

超神ネイガーは秋田弁で呼びかけました。

「県外にいる孫の顔が見たいなあ……。
気持ちはわかるが、感染した場合には
おめだぢ　たいがい死ぬぞ。
顔なら見られる。文明の利器を使え」

超神ネイガーは、
普段は「在田ワーク」をやっていて、
田んぼを耕しています。

家の中にいる人たちが、
みんなの命を救う、
スーパーヒーローなのです。

●妖怪も自粛

昔、日本村にはたくさんの妖怪が住んでいました。

その中に、妖怪「アマビエ」がいます。

江戸時代、熊本地方に現れたお化けで、
人魚のような姿をしています。

海の中から姿を現し、
「悪い病気が流行ったら、私の絵を描いて、
たくさんの人に見せなさい」
と予言して消えました。

さて、アマビエは、また、
「人間界に行って、村人たちを救おう」
と思ったのですが、
天狗の親分に止められてしまいました。

「外に出るのは自粛して！」

今、人間界に行くと捕まって、
どら焼きにされたり、
こいのぼりにされてしまうからです。

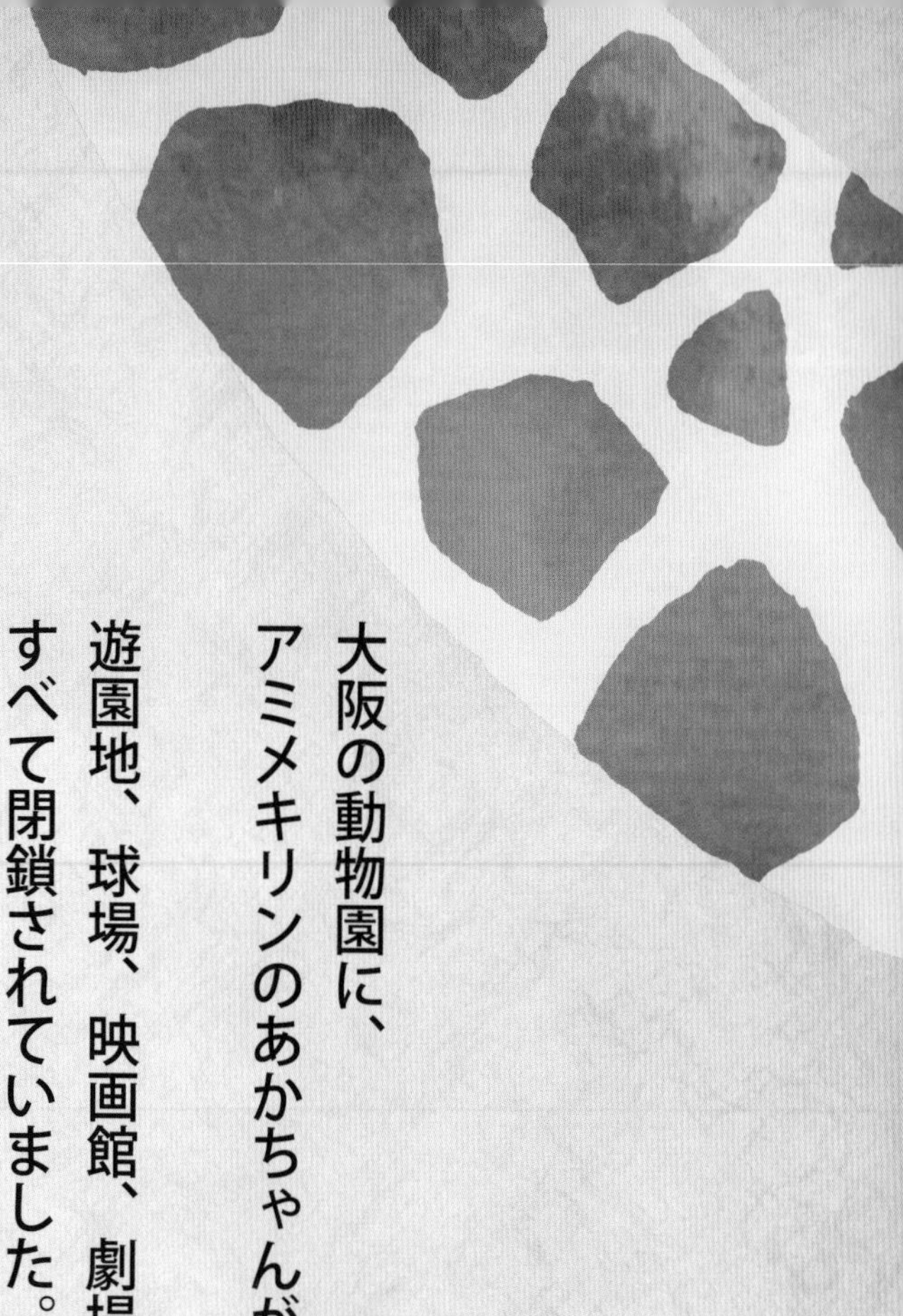

大阪の動物園に、
アミメキリンのあかちゃんが生まれました。

遊園地、球場、映画館、劇場は
すべて閉鎖されていました。

動物園も閉まっているので、
だれもお祝いしてくれません。

●まってるよ！

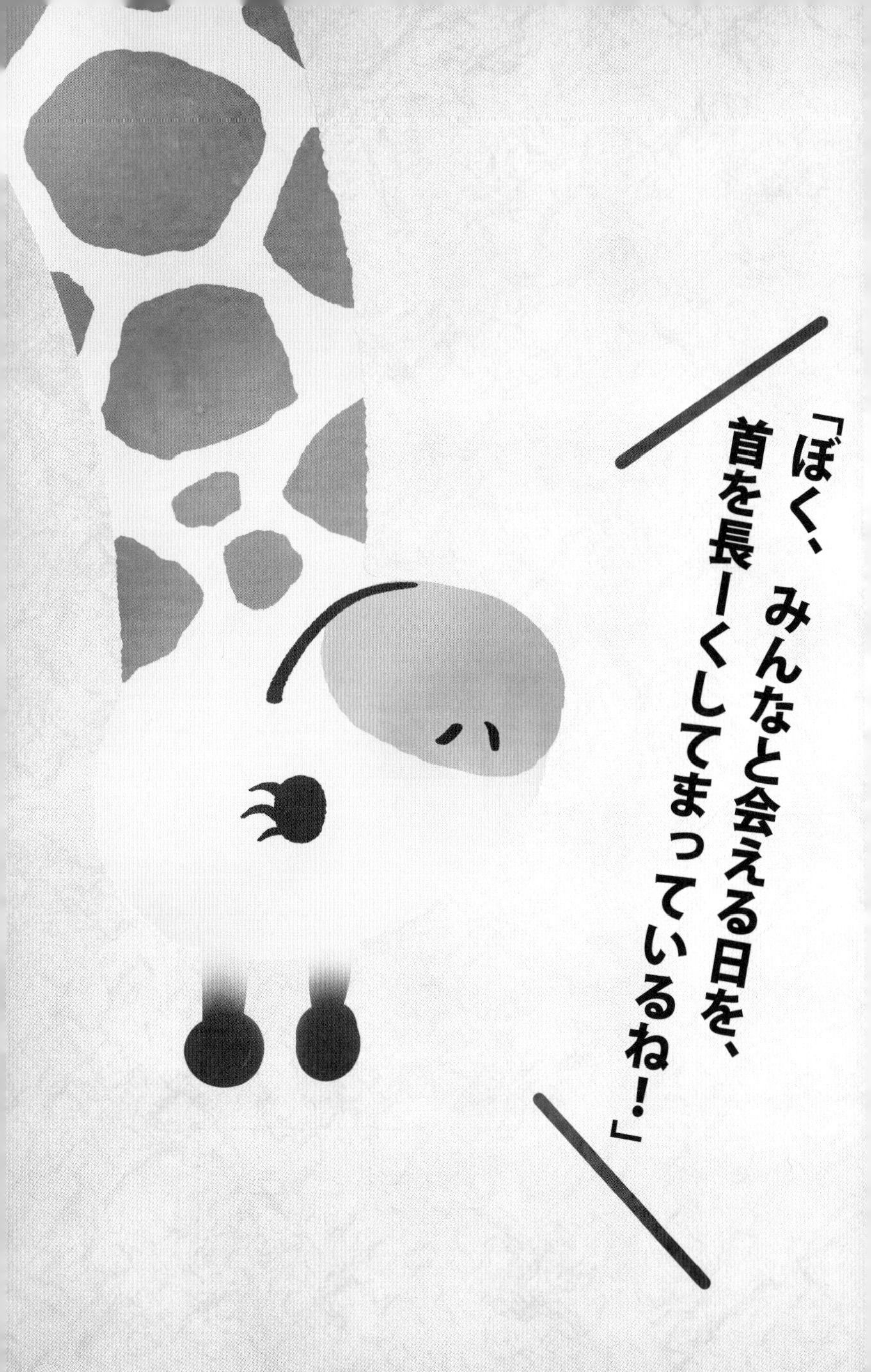
「ぼく、みんなと会える日を、首を長ーくしてまっているね！」

マスク姿のドラえもんも
ステイホームを呼びかけました。

きみがおうちにいてくれたから。

ちゃんと手を洗ってくれたから。

家族を想ってくれたから。

ともだちと支え合ってくれたから。

やさしい気持ちでいてくれたから。

病気の人を助けてくれたから。

みんなのために働いてくれたから。

未来をあきらめないでいてくれたから。

「だいじょうぶ。未来は元気だよ」

未来から見たら、コロナカゼは昔の話です。
どんな苦しいことも、もう終わっています。
私たちは、すでに苦しみを乗り越えています。

今を悲しむことはありません。
明日を心配することはありません。

それよりも、もっと考えてほしいことがあります。
今、あなたが「どう生きるか」が大事なのです。

ドラえもんは、それを伝えたかったに違いありません。

第5章

ミッキーマウスもお休み 上を向いて歩こう世界村

オーストラリア村のコロナ・デブリースくん（8才）は、友だちから「コロナウイルス」と呼ばれてイジメにあっていました。

そんなコロナくんに、アメリカ村の俳優、トム・ハンクスからプレゼントが届きました。

●コロナくんへのプレゼント

それは、彼が使っていた
タイプライターで、
コロナ社製でした。

「あっ、ぼくと同じ名前だ」

コロナくんは自分の名前が
好きになりました。

トム・ハンクスは、
「キミは光り輝く太陽の王冠だ」
とコロナくんをたたえました。

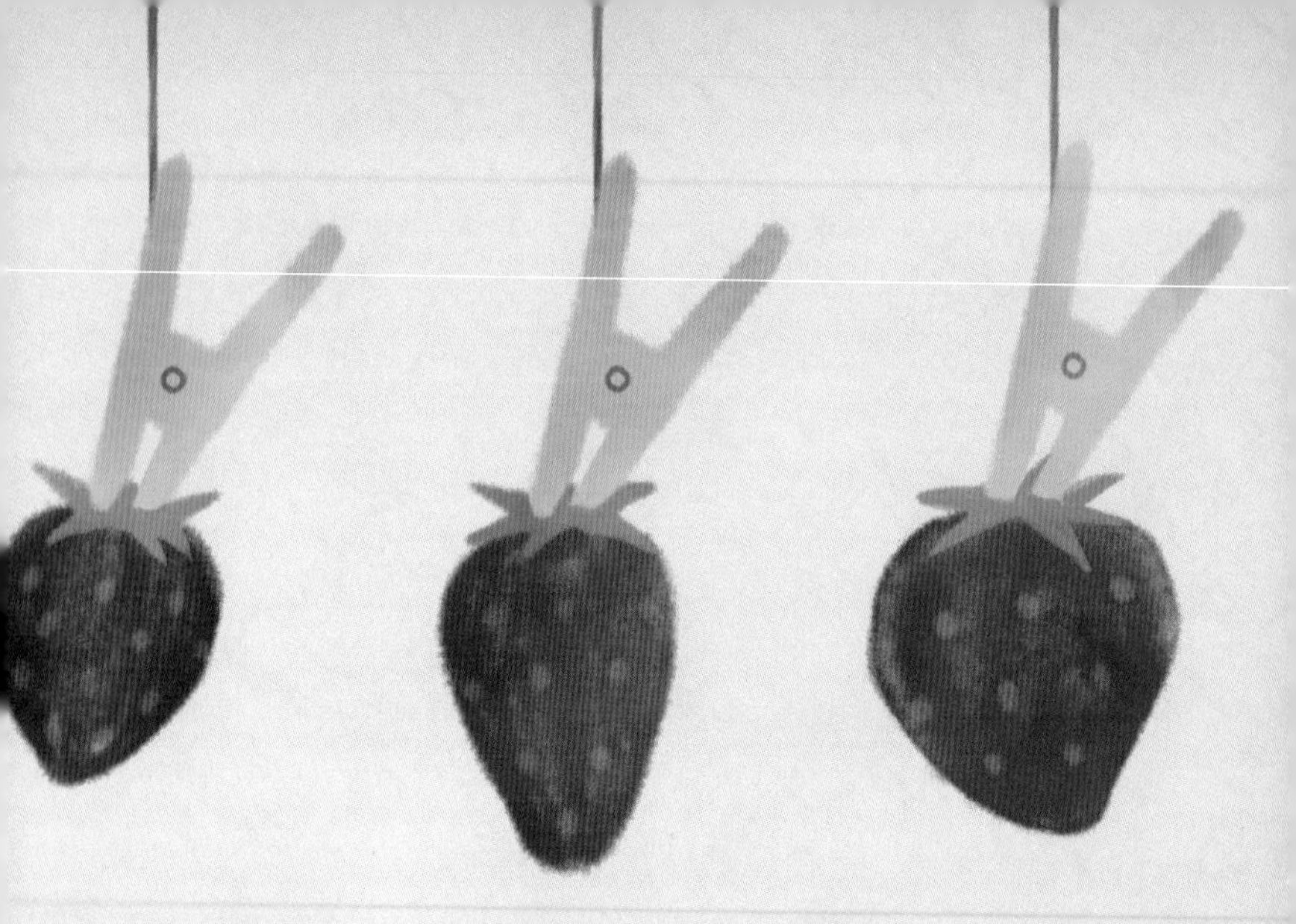

部屋の中でイチゴ狩りをしてみませんか？

洗濯ばさみにたくさんのイチゴを吊るして、
家族みんなでイチゴ狩りをするのです。

子どもたちは新しい遊びを考える名人です。

アメリカ村では、
いろいろとアイデアを出して、
「おうち時間」を楽しんでいます。

●よいこ証明書

スペイン村では、
家の中でおとなしくしている子どもたちに、

警察官から「よいこ証明書」
が配られました。

世界一忙しいひとはだれでしょうか？

それは、ミッキーマウスです。

ミッキーは世界中のディズニーランドで1匹しかいないことになっています。

魔法で世界中を瞬間移動しているのです。

そんなミッキーの誕生日は1928年11月18日。

なんと、90才以上のお年寄りなのです。

●ミッキーの休暇

90年間、1日も休まず、
子どもたちを
楽しませています。

世界中のディズニーランドが閉鎖されたとき、
子どもたちはみんな、こういいました。

「ミッキー、ゆっくり、休んでね」

お巡りさんは勤務中はマスクをしていないため、
よくコロナカゼにかかってしまいます。

その結果、働くお巡りさんの数が足りなくなり、
ドロボウを捕まえても、
「あとで逮捕するから、今日は帰っていいよ」
といって、身元を確認して家に帰しました。

ある病院に消防車がかけつけました。
火事は起きていません。

●お巡りさんＶＳ消防士さん

カゼで入院している消防隊員のために
仲間が消防車でかけつけ、
「頑張れよ」と応援してくれたのです。

普段は火事を消している消防士が、
病気と戦う患者の心に火をつけました。

イギリス村のトム・ムーアさん（99才）は、

「チャリティウォークでお金を集めよう」

と自宅の庭を100往復することにしました。

最初の目標額は1000ポンド（13万円）でした。

ところが、歩行器を使って、11日間かけて、
ゆっくりゆっくり歩くトムさんの姿を見て、
世界中から40億円もの募金が集りました。

「えっ、庭を歩くだけでそんな大金が稼げるの？」

なんて、思わないでください。

●チャリティウォークでギネス更新

トムさんは元軍人で、長年、
イギリス村につくしたので
多くの人から応援してもらえたのです。

100才の誕生日には、
世界中から14万通もの
バースデーカードが届きました。

全部読み終わるのに
5年くらいかかるそうです。
トムさん、長生きしてくださいね。

アメリカ村のレディー・ガガがＷＨＯと協力し、
バーチャルコンサートを開きました。

ポール・マッカートニー、エルトン・ジョン、
スティービー・ワンダーら超豪華アーティストも参加。

１週間で３５００万ドル（約38億円）の
寄付金が集まりました。

●世界共通言語

音楽は世界をひとつにする力があります。
言葉や国境や肌の色を越えて伝わります。

多くの人々の悲しみや苦しみをやわらげ、
元気と勇気と生きる力を与えてくれます。

音楽は「聴く薬」なのです。

イギリス村から始まった青い光の応援が世界中に広まっています。

アメリカ村のエンパイアステートビル、カナダ村のナイアガラの滝、エジプト村のピラミッド……。

これは、お医者さんや看護師さんなどに感謝の気持ちを表す光です。

日本村でも、スカイツリーや熊本城などがブルーのライトで照らし出されました。

青色は、「真心」「献身」「思いやり」「信頼」「誠実」の意味を持っています。

そして、「平和」の象徴なのです。

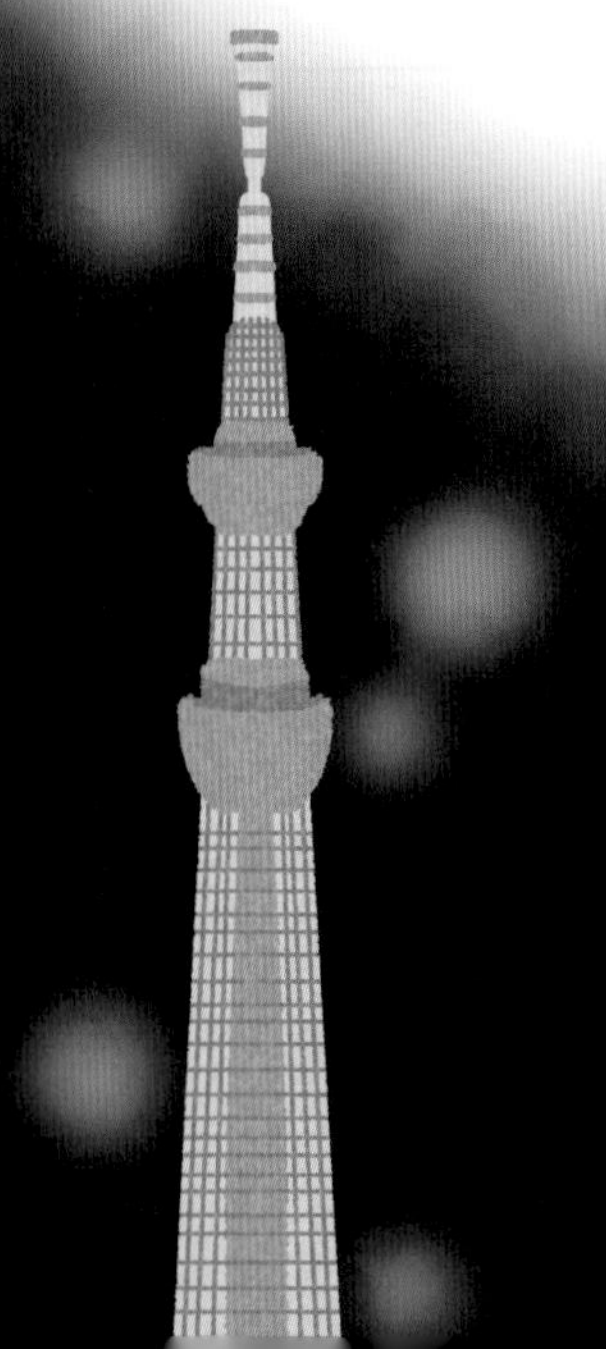

第6章

世界がまたひとつになるとき オリンピックで会いましょう

あなたの人生で一番大切なものは何ですか？

お金？　健康？　家族？　宗教？

人それぞれ答えは違うと思いますが、
アメリカ村のハーバード大学が、

「人生を幸せにするのは何か？」

という、たったひとつの問題を解くために、
75年間もの長い歳月をかけて、
７２４人の男性を研究しました。

●世界一長い実験

その結果は、
「よい人間関係が
人を幸せにする」
というものでした。

コロナカゼは
人との距離を遠ざけましたが、
人との絆の大切さを改めて
教えてくれました。

●幸せの青い魚

江戸時代に、こんな和歌がよまれました。

たのしみは　まれに魚(うを)烹(に)て
兒等(こら)皆(みな)が　うましうましと
いひて食(く)ふ時(とき)

父親が、たまに子どもたちに
魚を煮て食べさせます。
子どもたちが
「おとうさん、おいしいよ！」
といって喜びます。

幸せとは、「家族」が一緒に
いられることかもしれません。

おとうさん、たまには、
回らない寿司屋さんに
子どもたちを連れて行ってください。

日本村の人たちは花見が大好きです。
カゼがはやっているとき、
ちょうど、サクラの花が咲きました。

村人は100人中70人が
「花見をする」といいました。

しかし、自粛で、お花見はできませんでした。

●サクラサク

「今年は花見ができなかった」

と嘆いてはいけません。

一度落とした命は二度と返ってきません。

桜の花は散りますが、
また来年も咲きます。
今年の桜より、
もっと、ずっと、きれいに……。

イギリス村のエリザベス女王（94才）が
村人たちにメッセージを送りました。

「私たちが団結し、
断固たる態度で臨めば、
困難は必ず乗り越えられます。
忍耐は続きます。
しかし、よき日々は再び訪れます。
友だちとも家族とも、必ず再会できます」

●We will meet again.

女王は、世界恐慌、第2次世界大戦、
スエズ戦争、北アイルランド紛争、
フォークランド戦争と
たくさんの困難な時代を生きてきました。

だから、このメッセージは力強いのです。

フィジー村は、日本村よりずっと小さな村です。

この村には「ケレケレ」という文化があります。

「自分のものはみんなのもの。

みんなのものは自分のもの」という考え方です。


「あれっ、クツがない！」

と思ったら、だれかがはいて出かけています。

「買ってきたバナナがない！」

と思ったら、だれかの胃袋に入っています。


持ち物や食べ物だけではありません。

幸せも喜びもみんなでわかちあいます。

●クレクレではない

苦しみも悲しみも、一人で抱え込むのではなく、みんなでケアするのです。

カーシェア、シェアハウス、シェアガーデンなど、これからはみんなで共有する時代になるでしょう。

でも、他人のサイフと他人の奥さんは共有してはいけません。

コロナカゼが教えてくれた3つのこと。

その1「当たり前のことは当たり前ではない」

恋人と手をつなぐこと
両親の肩をたたいてあげること
子どもを抱きしめること……。

その2「命が一番の宝物」

命は力を合わせて守っていくもの。
もらった命はいつか必ず、
返さなくてはならないこと。

その3「未来は選べる」

今日、決めたことが明日を創る。
今日、何もしないと明日は同じ。
未来はいつでも変えることができる。

あなたはどんな未来を
創りたいですか？

1896年、ギリシャ村で1回目のオリンピックが開かれました。
それ以来、夏の大会は28回開催されています。

戦争で3回中止になりましたが、延期になったのは今回が初めてです。

日本村の人たちは、とてもガッカリしました。

しかし、オリンピックは平和の祭典です。
次にオリンピックが開かれるときは、世界が再び平和になったという証拠です。

あらゆる困難を
乗り越えて
開かれた大会は、
史上、もっとも
盛り上がるでしょう。

昔、日本村は「大和」と呼ばれていました。

「みんなで仲よくする」という意味です。

日本村では神さまたちも平等で、
丸く座って話し合いをしていました。

1500 年たって「大和」の国は、

「日いずる国」＝「日のもと」＝「日本」

と呼ばれるようになりました。

●太陽が昇る村

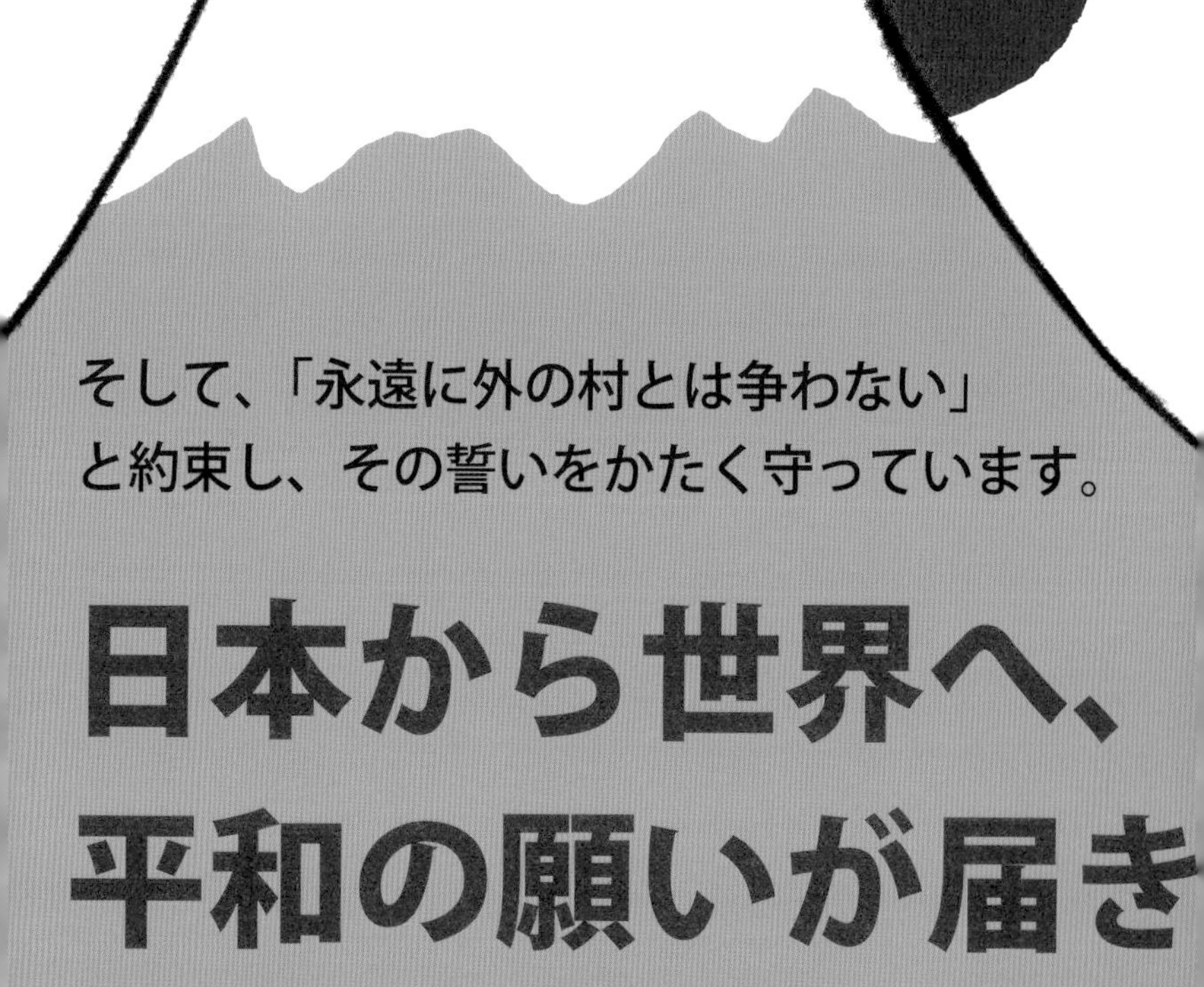

そして、「永遠に外の村とは争わない」
と約束し、その誓いをかたく守っています。

日本から世界へ、平和の願いが届きますように……。

あとがき……一人失うと10人見つかる

私が13才のとき、日本村では「オイルショック」が起きました。

日本中のスーパーマーケットから、トイレットペーパーが消えたのです。

オイルショックは１９７３年の出来事なので、そんなに古い話ではありません。

あれから約50年経って、「コロナショック」で消えたのはマスクです。

さらに50年経ったとき、私たちは、「あのときは大変だったね」と笑っているに違いありません。


歴史を遡っていくと、結構、日本村は大打撃を受けています。

１９１８年のスペインカゼは、当時の日本人２３００万人以上が感染し、45万人が亡くなりました。

１９２３年には関東大震災で10万人が亡くなりました。

１９４５年には東京大空襲があり、死者は10万人。

それでも、氷河期のあとのカンブリア紀に生命が大爆発したように、経済も産業も教育も文化も世界トップの座に返り咲きました。

「今」をピンポイントで見ると、私たちは不幸のどん底にいます。しかし、50年、100年という長いスパンで俯瞰したら、「今」は別な意味を持っているのかもしれません。実際、多くの人たちは不況の波に飲み込まれていますが、中には、波に乗って大きく飛躍する人もいます。

100年に一度のピンチではなく、100年に一度のチャンスかもしれないのです。

世の中が不安なときに、一緒になってうろたえていたか、それとも、100年後に評価される仕事をしたか、今、それが試されているのです。

平安時代の僧侶で天台宗の改組、最澄の言葉に「照千一隅」があります。「一隅を照らす」という有名な言葉で、「一人ひとりができることをすれば世の中はきっとよくなる」と言う意味です。

2011年、東日本大震災が起こり、死者1万5899人、行方不明者

2529人という大惨事に陥りました。

そのとき私は、多くの作家に呼びかけ、本を出したときに行う出版記念パーティーの会場に募金箱を置かせてもらいました。

すると、1年間、約50回のパーティーで400万円もの義援金が集ったのです。

中には、自分の本の印税を全額寄付してくれた作家もいます。

私がやったことは、ただ募金箱を置いただけです。

しかし、「一隅を照らすこと」はできました。


このように、一人ひとりが自分の専門分野で助け合うことができるのが、日本村の強みです。

世界を見ると、大惨事のときに、暴動やテロや国家の独裁が巻き起こっています。

しかし、日本村はどんなに大きな災難が襲いかかってきても、自主的にルールを守り、村人全員で一致団結し、助け合ってきました。

コロナ騒動でほとんどの国はロックダウンし、外出したら罰金や禁固刑を課したのに、日本村だけは「自粛」という政府からの「お願い」をひたすら守り続け、感染者数も死者数も世界的に見て最小限に押さえ込んだのです。

新型コロナウイルスは私たちから多くのものを奪っていきましたが、逆に与えてくれたものもあります。フランスに、こんなことわざがあります。
Un de perdu, dix de retrouvés.（1人失うと10人見つかる）
これは、人ではなく「希望」のことです。私は、そう思います。
もうひとつ、元気が出る言葉を贈ります。
Après la pluie, le beau temps.（雨がやんだとき、よいときがおとずれる）
もうすぐです。もうすぐ、雨がやみます。
太陽の下に出て、あなたは最初に何を見つけますか？

童話作家　吉田 浩

※この童話の著者印税10％は全額、赤十字などの医療機関に寄付されます。

P100
■お花見アンケート
◆「今年も花見をしますかアンケート」69.8%が「する」「するつもり」と回答。
（日本トレードリサーチ　3/13～3/14）
◆ 2020年3月14日、東京都で桜の開花が宣言された。
1953年の統計以降、史上最速での開花となった。
（気象庁）
◆小池百合子東京都知事は、「桜はきっと来年も咲きます」と自粛を呼びかけた。

P102
■エリザベス2世
◆ 1926年4月21日生まれ。16カ国の君主。
1952年、25歳で英国女王に即位。
2020年、即位68周年。
英国の最長在位記録や最高齢君主の記録を塗り替え続けている。
（時事通信）

P104
■フィジー共和国
◆国土は1万8270㎢で人口は約89万人。
日本の四国くらいの面積。
四国4県では約372万人が住んでいる。
（外務省、総務省）

P106
■意識の変化
◆「新型コロナウイルス感染症の流行下における意識や生活の変化に関するアンケート」
81.1%が「健康に関する意識が変化した」
（オムロン　2020/5/8～5/13）

P108
■オリンピック延期
◆オリンピックが中止になったのは1916年、1940年、1944年の3回。
東京オリンピックの経済損失は1年延期で6000億円～2兆円。
中止で4兆円～8兆円。
（サウスチャイナ・モーニング・ポスト）

P110
■平和の祈り
◆「大和」は4世紀から6世紀にかけての時代区分。
◆日本最古の歴史書「古事記」では、神様たちは車座になって政治を行っている。
◆ 1947年に施行された日本国憲法の第9条で「戦争の放棄」「戦力の不保持」
「交戦権の否認」を定めている。

P86
■ミッキーは働きづめ
◆世界にあるディズニーのテーマパークはフロリダ、カリフォルニア、パリ、上海、香港、東京の 6 ヵ所。
最初の営業再開は上海。（5/11）
時差を考えるとミッキーマウスは 365 日、24 時間、1 分も休みなく働いている。

P88
■緊急対応
◆全米の警察署でコロナ感染が拡大。
犯罪数に対して警官の数が足りなくなる。
消防士のお見舞いは米フロリダ・マイアミデード郡。
（CNN ニュース）

P90
■誕生日プレゼント
◆トム・ムーア氏の 100 歳の誕生日は 2020 年 4 月 30 日。
当日は空軍による儀礼飛行を実施。
英国政府はナイトの爵位を授与した。
（BBC、AFP 通信）

P92
■チャリティコンサート
◆ WHO は世界保健機関、本部はジュネーブにある。
◆日本でもロックバンド LUNA SEA がホストで、医療従事者への支援活動としてオンライン・チャリティ・フェスを開催した。
（「MUSIC AID FEST. ～ FOR POST PANDEMIC ～」2020/5/31）

P94
■ブルーライトの応援
◆英国の国営医療機関 NHS（ナショナルヘルスサービス）のシンボルカラーにちなんでスタート。

第 6 章

P96
■幸せの研究
◆ 1938 年からハーバード大学では「ハーバード成人発達研究」が行われている。
2015 年に責任者である心理学者のロバート・ウォールディンガー氏が成果について講演。
（TED）

P99
■幸せの基準
◆江戸時代幕末の歌人、橘曙覧（たちばなあけみ）の歌集『志濃夫廼舎（しのぶのや）歌集』中の独楽吟にある一節。
◆ 1994 年、天皇皇后両陛下がご訪米された際に当時のビル・クリントン米大統領が「独楽吟」の中の一首を引用している。
（福井市橘曙覧記念文学館）

P72
■ご当地ヒーロー
◆栃木県の「精霊法士トチノキッド」の呼びかけで一発ギャグリレーがスタート。
「大ジャレイ教団エンガミーロ」「砕氷船士ガリヤー」「はっぴーすマン」
「グリーンピース」などが参加。

P74
■妖怪アマビエ
◆江戸時代末期の弘化3年（1846年）に、現在の熊本県に出現したと言われる妖怪。
瓦版が京都大学附属図書館に所蔵。
◆お菓子やケーキやどら焼きなどが商品化。
岐阜県「金蝶園（きんちょうえん）総本家」秋田県「かおる堂」 京都市「京都深村」
沼津市の販促企画会社「オフィスグルー」はアマビエのこいのぼりを長興寺に奉納。
厚生労働省の若者向けの啓発用アイコンとしても活用。

P76
■キリンのあかちゃん
◆ 2020年4月7日、大阪府の天王寺動物園で誕生。
同日、日本では緊急事態宣言が発令された。
動物園は閉鎖、お披露目されることはなく、1週間後の14日に息を引き取った。

P78
■ドラえもんも応援
◆ 2020年4月29日、朝日新聞にドラえもんのメッセージが掲載された。
その後、英語、中国語、タイ語、韓国語、ヒンディー語、インドネシア語、ベトナム語、
アラビア語などに翻訳された
(ドラえもん「STAY HOME」プロジェクト)

P80
■ドラえもん50周年
◆ 2020年は『ドラえもん』の連載50周年にあたる。
ドラえもんの誕生日、2112年9月3日まで残り92年。

第5章

P82
■コロナの由来
◆コロナウイルスの粒子の表面には無数の突起があり、“王冠”のようになっている。
“王冠”はラテン語で「コロナ」と言う。
（北里大学）

P84
■外出自粛
◆日本でも、東京都、埼玉県、千葉県、神奈川県は、「いのちを守るSTAY HOME週間」を実施。
（2020/4/25 ～ 5/6）
屋内でできる取り組みを紹介した。

P58
■マスクの輸入額
◆緊急事態宣言が発令された2020年4月、日本のマスク輸入額は前年の約10倍の1089億円。中国からの輸入が約96%。
（財務省、共同通信社）

P60
■マスク争奪戦
◆世界的なマスク不足で、フランス宛の中国製マスクの行き先が、直前でアメリカに変わった。
（時事通信、AFP通信）
◆フランス政府はスウェーデン企業が製造したイタリア、スペイン向けマスクを差し押さえ、スウェーデン政府が「欧州の連帯」を呼びかけた。
（東京新聞）

P62
■恋人たちの距離
◆緊急事態宣言の発令後、恋人とＧＷを一緒に過ごしたい人は約24%ダウン。
離れて住んでいる恋人は、別々に過ごす割合が約60%を占めた。
（時事通信、ネクストレベル）

第4章

P64
■冒険の旅
◆放送作家の竹村武司氏が娘の行動をTwitter（@ takemuramura）へ投稿したところ、2万4000以上の「いいね」がついた。

P66
■マスク寄付
◆山梨大学教育学部付属中学の1年生、滝本妃さんがお年玉でマスクの材料を買い集め毎日30枚以上手作りし、約600枚を山梨県知事に手渡した。
（日本経済新聞）

P68
■タイガーマスク運動
◆タイガーマスク運動の創始者は国際ビジネス大学校理事長の中谷昌文氏。
2008年、初代タイガーマスクの佐山サトル氏と『タイガーマスク・リターンズプロジェクト』を立ち上げる。
◆千葉県のコンパス幼稚園に伊達直人を名乗る匿名の男性から1080枚のマスクが寄付された。
ソニーは病気の支援に108億円を寄付。
アパホテルは東京、大阪、名古屋に5000室を提供。
日本財団は船の科学館に1万人分のベッドを用意。
（日本経済新聞、朝日新聞など）

P70
■＃早口言葉でエール
◆日本テレビのアナウンサーたちが自宅から発信した「うちで挑戦！早口言葉」が話題に。
その広がりは局を超えて、フジテレビのアナウンサーにも広がった。

P44

■マスクの必要性

◆「マスク２枚あなたは使いますかアンケート」
事前アンケートでは、使う 24.1%、使わない 75.9%。

（NEWS ポストセブン）

配布開始から１ヵ月半が経っても 70.6%の人には届かず、使用したことがある人は 12.2%。

（文春オンライン）

P46

■漢字の意味

◆「コロナ禍」は 2020 年２月ごろからマスコミが使い始めた。
「SARS 禍」「MERS 禍」は流行らなかったが、なぜか「コロナ禍」は認知された。

（転職サイト「マナラボ」四字熟語より）

第３章

P48

■パンデミック

◆ 2002 年～ 2003 年に起こった SARS 感染の実例。
中国・広州の医者が、香港で行われる親族の結婚式にやってきて、宿泊したホテルからクラスターが起こった。

P51

■緊急事態宣言

◆ 2020 年４月７日に日本政府が発令。
日本では国家緊急権が制定されていないため、法律上は外出を禁止することはできないし、罰則もない。

P52

■コロナバカ

◆ covidiot はスラングで、公衆衛生や安全に関する警告を無視する人のこと。
同じようなスラングで awesome（オーサム）は、日本語ではいい意味での「やばい」にあたる。

P54

■世界のコロナ対策

◆ブラジルは 2020 年２月末に感染が確認。
６月には感染者数、死者数の増加割合は世界最多となった。

しかし、ボルソナロ大統領は経済活動を優先し、国境封鎖や外出自粛令に反対した。

（NHK、日本経済新聞）

P56

■ハリケーン

◆アメリカ・サウスカロライナ州で 2020 年４月 11 日～ 13 日におこった竜巻。
100 万件以上の停電。33 人死亡。
（CNN ニュース、日本テレビ）

P34
■家族アンケート
◆テレワークの活動について日本の大手企業 100 社の回答は、拡大する 54.7%
縮小する　10.5%
（NHK アンケート調査　5/19 ～ 5/29）
◆コロナ離婚を考えたことのある人は 4 割。
（女性向け総合メディア Lip Pop）
◆緊急事態宣言中は、家族全員が自宅で一日中過ごすことを余儀なくされた。
38%の子どもが「家族といる時間が増えて嫌」
15%が「家庭環境が悪くなった」と回答。
（NPO 法人ウィーズ調べ　2020/4/4 ～ 4/10）

P36
■ 1 カ月のおこづかい額
◆ 1 年間のデータを比較すると夫が減額なのに妻は増加している。
2019 年、夫は月 37,774 円　妻は月 18,386 円
2020 年、夫は月 33,720 円　妻は月 19,049 円
（明治安田生命「家計に関するアンケート」）

P38
■就職氷河期
◆ 2019 年、新卒採用における大卒の求人倍率。
大企業は 1.88 倍。中小企業（従業員 300 人未満）は 9.91 倍。
（第 35 回ワークス大卒求人倍率調査・2019 年卒）
◆就職状況調査
コロナ感染の拡大によって、内定を取り消す企業が続出した。
新型コロナウイルスの影響で内定取消 107 人。
入社時期繰下げ 944 人。
（2020 年 3 月大学等卒業者対象　厚労省など）
◆就職者数の増減
2019 年 12 月、約 80 万人増。2020 年 4 月、約 80 万人減。その差は 160 万人。
（総務省・労働力調査）

P40
■接触を伴うサービス業
◆クラブなど夜間に営業する飲食店で、新型コロナウイルスが広がった。
（厚生労働省のクラスター対策班の発表）

P42
■コロナ対策
◆「新型コロナウイルスの対策をしているか？」
対策している　75.3%　対策していない　24.7%
「今後対策をする予定はあるか？」
今後も対策はしない　33.2%　タイミングを見計らって　52.9%
（ゼネラルリサーチ社調べ　3/10 ～ 3/16）
◆感染拡大初期は若者の意識が希薄で、20 歳以下の感染者が急増していた。
しかし、長引くコロナ禍で 87%が外出自粛要請に応じた。
（日本経済新聞、日本財団）

P20
■スモールワールド実験
◆ 1967 年、アメリカの社会心理学者、スタンレー・ミルグラムは、アメリカ中西部の住民 160 人を無作為に選んで、「東海岸の特定の人物に知り合いを介して手紙を届けられるか」を実験。
その結果、たった 6 人が介在すれば知らない人にまで手紙が届くことがわかった。

P22
■バット・エフェクト
◆新型コロナウイルスだけでなく、SARS、MERS、エボラウイルスもコウモリが自然宿主とされている。

P24
■心配遺伝子
◆ 29 カ国 5 万 135 人の遺伝子を調査。
セロトニン・トランスポーター遺伝子には幸せを感じるＬ型遺伝子と不安になるＳ型遺遺伝子がある。
東アジア人は不安症のＳ型遺伝子が 70 ～ 80%
ヨーロッパ人は 40 ～ 45%　南アフリカは 27%
29 カ国の中で保有率が一番高いのが日本で 80.25%
（2009 年に発表されたジャーナルより）

第２章

P28
■「だっふんだ」の由来
◆故・桂枝雀の落語「ちしゃ医者」に出てくるクシャミとセキが「だっふんだ」と聞こえたことから誕生した。
（2009 年、朝日新聞インタビュー）

P30
■サザエさんとゴルゴ 13
◆『サザエさん』は長谷川町子原作の長寿アニメ。
2020/4/26 放送の「ＧＷのＢプラン」が不謹慎だと騒動に。
(フジテレビ系で放送)
◆『ゴルゴ 13』はさいとう・たかをの人気劇画作品。
主人公のゴルゴ 13 は握手すること、背後に立たれることを極端に嫌っている。
（小学館「ビッグコミック」にて連載中）

P32
■コロナ疎開
◆感染者が少ない沖縄に逃避する人が多く、沖縄県うるま市立宮森小学校の教員が児童向けに看板を設置した。
◆沖縄のお笑い芸人・せやろがいおじさんによるＧＷ中の渡航自粛を求めるユーチューブメッセージ。

P4
■社会的距離
◆一般的な距離は 6 フィート＝ 1.8 メートル。
ソーシャルディスタンス（社会的距離）ではなく、フィジカルディスタンス（身体的距離）に呼び方が変化。

P6
■動物ＺＯＯ感ごっこ
◆他にも、オランウータン１匹、ベンガルトラ１頭、リカオン２頭、若いオスのホッキョクグマ１頭などがある。
（ＷＷＦジャパン）

第１章

P10
■世界の人口
◆アフリカ、次いでオセアニアが増加割合が高い。
2030 年に約 85 億人、2050 年には 100 億人になると推測。（国連の世界人口白書）

P12
■日本の国土面積
◆日本はフィンランドに次いで世界で 2 番目に森林率が高い国。
国土面積の約 3800 万 ha に対して森林面積は約 2500 万 ha で約 66%を占める。
（農林水産省、国際連合食糧農業機関）
◆留学者の推移。中国＋ 10.7%　日本－ 3.6%
（国別留学者増加率 2000 ～ 2017）

P14
■地震予知
◆世界で起きているマグニチュード 6.0 以上の地震のうち、約 20%が日本周辺で起きている。
日本の地震予知と携帯アラームは世界では驚愕の的となっている。
（国土技術研究センター）

P16
■Ｘデー
◆首都圏を含む南関東は地震が多い地域。
マグニチュード 7.0 レベルの地震が 30 年以内に起こる確率は 70%。
（地震調査研究推進本部事務局）

P19
■ねずみ算
◆ねずみ算は江戸時代の和算家・吉田光由が『塵劫記』で著した和算のひとつ。
つがいが 12 匹を生むと、14 匹で 7 つがいになる。
これを 12 か月繰り返すと 2 × 7 の 12 乗となる。
◆感染者の死亡率
世界の感染者数は 4 月 3 日に 100 万人、4 月 15 日には 200 万人を超えた。
（ジョンズホプキンス大学の調査）

■著者紹介
吉田 浩（よしだ ひろし）

●童話作家。1960年生まれ、新潟県六日町出身。
●法政大学（文学部）卒。青山学院大学大学院（総合文化政策学部）卒。
●株式会社天才工場代表。NPO法人企画のたまご屋さん会長。
学生によるベストセラー出版会『PICASO』創立。『出版甲子園』創立。
●大学時代より童話を書き、寺村輝夫、小沢正に師事する。
1984年『秘密の13時村』（偕成社）でデビュー。
●幼稚園・保育園絵本や紙芝居を約130冊出版。
『ロボットのたね』（鈴木出版）『すずめがおこめをつくったら』（チャイルド本社）
『ロボットランチ』（学研）『みちくさこねこ』（ひかりのくに）
●大人向けの童話も多数出版。
『人生の時間銀行』（扶桑社）『もし、20世紀が1年だったら』（廣済堂出版）
『カラスを盗め』（KKベストセラーズ）『タマちゃーん』（KKロングセラーズ）
『おさかなパラダイス』（全日出版）
『日本村100人の仲間たち』（日本文芸社）は45万部のベストセラー。
●講師歴　早稲田大学オープンカレッジ　編集の学校・文章の学校など。
【連絡先】info@tensaikojo.com

■絵
松野 実（まつの みのる）

東京都在住。フリーランスのイラストレーターとして活動中。
多彩な絵柄で描きわけることが得意で、その活動は
漫画や携帯ゲームから童話、健康書、実用書まで幅広い。
シリーズ累計95万部の大ヒット作『目は1分でよくなる！』
『耳は1分でよくなる！』（自由国民社）でイラストや漫画を手がける。

■編集協力／株式会社マーベリック　大川朋子　奥山典幸
■カバーデザイン／若林繁裕
■本文デザイン・ＤＴＰ／小山弘子

※本書の印税（10%）は全額、赤十字などの医療機関に寄付されます。

日本村100人の仲間たち　The HOPE

2020年8月5日　初版第1刷発行

著　者　**吉田浩**
発行者　廣瀬和二
発行所　辰巳出版株式会社
〒160-0022
東京都新宿区新宿2-15-14　辰巳ビル
TEL　03-5360-8064（販売部）
FAX　03-5360-8951（販売部）
URL　http://www.TG-NET.co.jp

印刷・製本　図書印刷株式会社

ISBN978-4-7778-2676-6